Gilets Brodés

modèles du XVIIIe

DANS LA MÊME COLLECTION

MUSÉE DES ARTS D'AFRIQUE ET D'OCÉANIE

BRODERIES MAROCAINES
TEXTILES

MUSÉE DES ARTS ET TRADITIONS POPULAIRES

RUBANS ET GALONS
TEXTILES

MUSÉE DES BEAUX-ARTS DE ROUEN

PRÉSENCE DE L'ICÔNE

CHÂTEAU DE VERSAILLES

TABLEAUX DE PIERRES DURES

MUSÉE DES ARTS DÉCORATIFS

BOTANIQUE ET ORNEMENT
DESSINS

ÉPINGLES DE CRAVATES
BIJOUX

LE CARNET DES TASSES
AQUARELLES

BORDURES ET FRISES
PAPIERS PEINTS

ANNEAUX ET BAGUES
DESSINS

DOMINOS
PAPIERS IMPRIMÉS

FLEURS ET MOTIFS
PAPIERS PEINTS

ANIMAUX-BOÎTES
PORCELAINE

MUSÉE GUIMET

PASSION MANDCHOUE
FLACONS À TABAC

LES TRÉSORS DU LETTRÉ
OBJETS

MUSÉE DU LOUVRE

POMPÉI XVIIIe SIÈCLE
GOUACHES

RITES ET BEAUTÉ
OBJETS DE TOILETTE ÉGYPTIENS

COLLECTION DIRIGÉE PAR SYLVIE MESSINGER
CONCEPTION GRAPHIQUE ET DIRECTION ARTISTIQUE : DIDIER CHAPELOT
PHOTOGRAPHIES : ALAIN BASSET, MUSÉES DES TISSUS DE LYON
PHOTOGRAVURE : G.E.G.M.
COMPOSITION : L'UNION LINOTYPISTE
IMPRESSION : S.I.O. PARIS

ISBN : 2-7118-2837-9

GILETS BRODÉS

modèles du XVIIIe

musée des Tissus. Lyon

« Se vuol ballare signor contino »...
Mozart, *Le Nozze di Figaro*, 1786
(livret de Da Ponte, *cavatine*, acte I, scène III).

INTRODUCTION

par Pierre Arizzoli-Clémentel
conservateur général du Patrimoine chargé du musée des Tissus - Lyon

« LES HOMMES nous plaisantaient sans pitié il y a quelques années sur les *poufs au sentiment* ; nous avons beau jeu aujourd'hui à prendre notre revanche avec les *boutons et les gilets à sujets*, dont la mode est dégénérée en extravagance. Dans des boutons larges comme des écus de six livres on voit des portraits de fantaisie, des animaux, des sites champêtres, des objets d'histoire naturelle. D'autres offrent des camées, des statues antiques, les bustes des douze Césars. J'en ai vu qui représentaient les *Métamorphoses* d'Ovide, et l'on assure qu'un cynique éhonté promène impudemment sur ses boutons les trente figures de l'Arétin. Une galanterie moins crue fait porter à nos jeunes gens romanesques le chiffre de leurs maîtresses en filigrane d'or : il en est même qui, au moyen d'une lettre placée sur chaque bouton, portent le nom entier de la dame de leurs pensées écrit sur la poitrine. Enfin les élégants du jour sont autant de musées ambulants qui provoquent la curiosité des étrangers, surpris que la mode puisse dominer jusqu'à ce point la raison. Les gilets à sujets présentent un spectacle plus grotesque encore : tous les ventres sont couverts des *Fables de La Fontaine*, des scènes du *Mariage de Figaro*, de *Richard Cœur de Lion*, de la *Folle par amour*. Sur des protubérances abdominales rebondies on admire des vendanges, des régiments de cavalerie défilant à la parade, des chasses avec tout leur attirail, et mille autres épisodes de la vie, selon le goût favori de l'amateur. M. de La Reynière, qui serait bien fâché de le céder à personne en fait de bizarrerie, vient de commander à Lyon tout le répertoire de la Comédie-Française en devants de gilets : cette collection fera époque ; il y aura, dit-on, une pièce pour chaque jour de l'année, et nos amateurs dramatiques vivants s'intriguent beaucoup, à ce qu'on assure, afin de figurer les premiers sur le ventre de cet original... ». Ainsi s'exprimait en 1786, avec une ironie cinglante, l'auteur des célèbres *Chroniques de l'Œil-de-bœuf, des petits appartements, de la cour et des salons de Paris sous le règne de Louis XVI*, G. Touchard-Lafosse, voulant de cette manière fustiger les excès et les diktats de la mode.

Cette mode des gilets brodés à la fin du XVIIIe siècle en France, qui nous enchante aujourd'hui par sa fantaisie inépuisable, sa fraîcheur d'inspiration et la qualité de son exécution, d'où venait-elle ?

Il faut en effet remonter assez haut dans l'histoire du costume masculin, avec la « veste » qui devient sous Louis XVI « gilet », et parallèlement, prendre en compte la désaffection progressive pour les riches textiles façonnés qui avaient fait la gloire de Lyon, en Europe et au-delà, à partir de la fin du XVIIe siècle.

L'habitude d'enjoliver par la broderie des habits masculins remonte en Occident au moins jusqu'au haut Moyen Âge ; on ne peut l'oublier, bien que très peu d'exemples nous en soient parvenus – la France, contrairement à d'autres pays, n'ayant quasiment rien conservé de son patrimoine en matière de costumes civils avant le XVIIIe siècle. Des fils de métal précieux, des fils de soies polychromes embellissaient par la magie de l'aiguille les costumes des grands, particulièrement à la fin du Moyen Âge, puis sous la Renaissance, avec des excès qu'on essaya de réprimer ou qu'on magnifia à travers les récits éblouis des mémorialistes (la création, par Louis XIV en 1664, du « justaucorps à brevet », brodé), ou les passages des *Mémoires* de Saint-Simon ayant trait aux habits portés à la Cour : par exemple, à l'occasion du mariage du duc de Bourgogne avec la princesse Marie-Adélaïde de Savoie, en 1697, le duc rapporte que : « ... le roi fit encore une chose bien honnête, et tout cela montrait bien le désir que tout le monde fût au plus magnifique : il choisit lui-même un dessin de broderie pour la princesse »... ; ou encore, pour l'ambassade de Perse, en 1715, Saint-Simon précise que « M. le duc d'Orléans avait un habit de velours bleu, brodé en mosaïque, tout chamarré de perles et de diamants, qui remporta le prix de la parure et du bon goût... ». Tout cela en syntonie avec l'usage, noté à Versailles, des exceptionnels ameublements brodés, à partir de 1683, pour la salle du Trône, puis, plus tard, dans la Chambre du roi.

Au début du XVIIIe siècle en France, le costume des hommes est fixé à trois pièces principales, l'habit, la veste – bientôt gilet – et la culotte réalisés, pour l'apparat, en précieux textiles façonnés de Lyon qui s'en était fait une spécialité. La veste, dont seul le devant se voit (le dos étant usuellement en toile) est assortie à l'habit, ou, au contraire, d'une étoffe différente, ornée ou non de broderies contrastées. La robe de chambre d'intérieur accompagnée d'une veste assortie peut aussi être brodée, mais de soie ou laine polychromes seulement.

Le milieu du siècle voit s'amorcer un revirement de tendance qui, progressivement, va imposer un costume plus « léger » à l'œil, sinon en richesse : le nouveau sentiment de la nature, l'influence des philosophes, l'antique redécouvert vont provoquer le bannissement des riches étoffes brochées à motifs floraux importants, aux couleurs vives – témoignage de la science de Lyon dans l'art du tissage de la soie – et des silhouettes juponnées, pour une ligne à l'anglaise plus droite, dans des tons unis. L'habit est plus étroit et la « veste » à basques plus courte vers 1774, une forme de gilet qui perdurera, dans le costume officiel, jusque sous la Restauration. La veste-gilet sera plus tard droite, portée sur une culotte collante. Sur ces tons unis et souvent clairs, qui les mettent en valeur, les riches et lourdes broderies sont remplacées par des chefs-d'œuvre de l'aiguille dont la demande croissante, malgré leur coût (« c'était extravagant de cherté », nous dit Mme d'Oberkirch dans ses *Mémoires*), va provoquer une véritable petite révolution à Lyon et bien des crises et des efforts d'adaptation de la Fabrique dans ces dernières années troublées du XVIIIe siècle.

En effet, dans la garde-robe masculine où triomphe, plus encore que chez les dames, la broderie, on assiste à une débauche de ce type de décor à partir de 1780-1783 (1783, date à laquelle le roi, suivant la mode, adopte le gilet blanc brodé), particulièrement sur les gilets, dont on doit changer plusieurs fois par jour : « Il fut du bel air absolument d'avoir des gilets à la douzaine, à la centaine même, si l'on tenait à donner le ton », rapporte toujours, avec une pointe d'exagération, Mme d'Oberkirch en 1787.

Nul doute, dans ce contexte, qu'il pût être urgent pour les fabricants de s'adapter à cette demande pressante de la mode, les marchands de soierie se devant d'offrir à leur clientèle les derniers modèles, toujours renouvelés. Une corporation des brodeurs, aux règlements très stricts, existait déjà au XIIIe siècle, avec une main-d'œuvre des deux sexes. N'y pouvaient travailler que des maîtres ayant acquis leur titre par la production du chef-d'œuvre, et des fils ou des filles de maîtres. Charles-Germain de Saint-Aubin nous apprend dans son *Art du brodeur*, paru en 1770, que la broderie est le métier où les femmes gagnent le meilleur salaire, pour une longue journée de 6 heures du matin à 8 heures du soir. L'auteur souligne aussi que le plus grand centre de production de broderies en France est Lyon (qui compte six mille brodeuses recensées en 1778), alors que Paris et Londres en auront toujours beaucoup moins. C'est toucher du doigt le changement dans la production que pareille adaptation à la demande supposa : en témoignent, d'une manière presque exemplaire, deux documents bien connus que l'on peut comparer, les *Albums Richelieu* conservés à la Bibliothèque nationale, et la *Gazette des Atours de Marie-Antoinette pour l'année 1782* (Archives nationales). Dans le premier, en 1736, sont consignés comme ayant été utilisés pour la garde-robe de Marie Leszczyńska, en 1736, de somptueux textiles façonnés (satins vert ou blanc brochés, or, gaze riche à fond d'or avec décor broché de fleurs de chenille...), alors que cinquante ans plus tard, on ne voit plus, pour Marie-Antoinette, que de légers taffetas unis ou rayés, brodés de petits motifs, ce qui donnera l'occasion, à plusieurs reprises, aux fabricants lyonnais d'adresser des suppliques à la souveraine, malgré ses grandes dépenses de toilette, pour obtenir des commandes d'étoffes façonnées. Cette tendance générale au

France ; c. 1785 ; gilet d'homme brodé ; voir projet dessiné page 5.

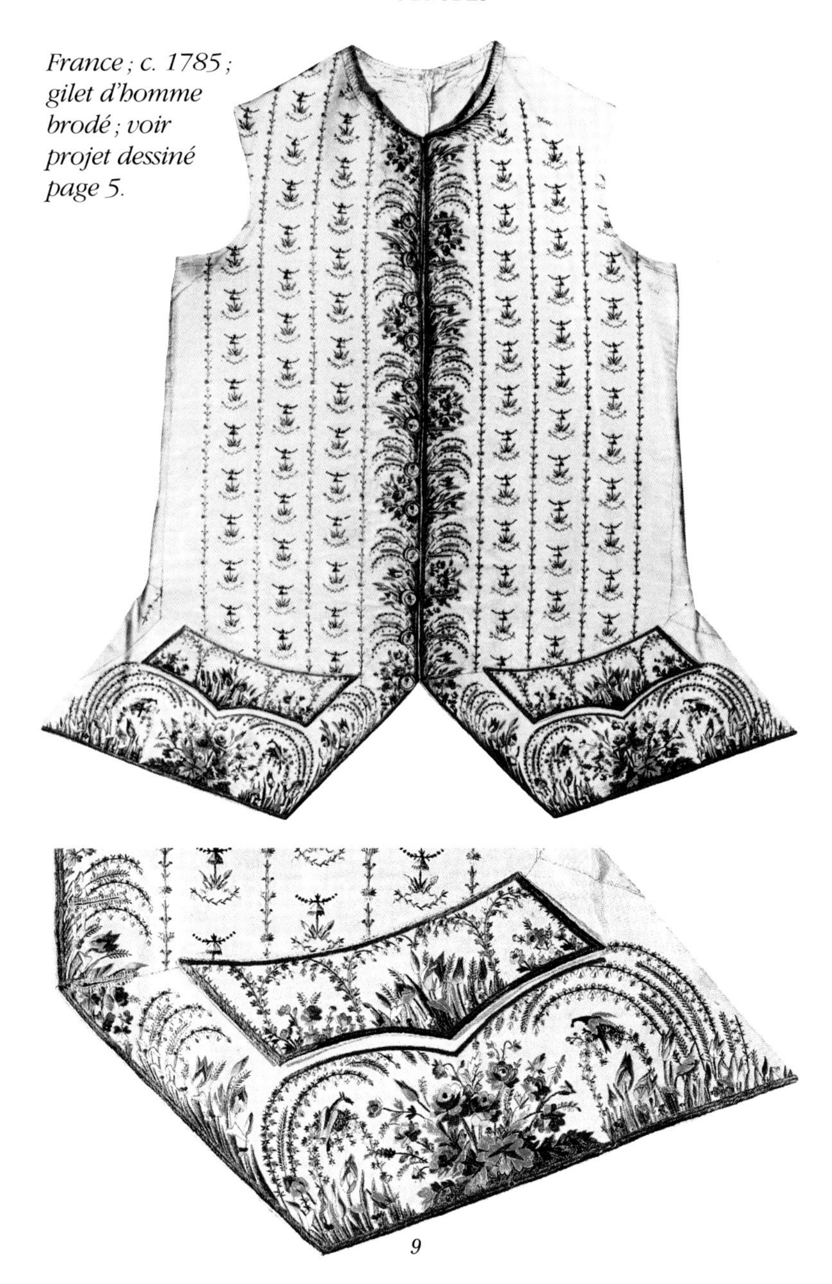

léger, au brodé est bien entendu corroborée à la lecture du *Livre-journal de Madame Eloffe*, marchande de modes et couturière lingère ordinaire de la reine, où sont consignées, jusque dans les moindres détails, les fournitures livrées à la souveraine dans les années 1787 à 1793. Même tendance chez le roi, pour lequel son grand maître de la garde-robe achète en 1783 trois habits brodés en soie passée nuée, très riches (en velours bleu et en gourgouran carmélite).

Ainsi la Fabrique va-t-elle de crise en crise au gré de la mode. D'ailleurs, cette nouvelle « manie » n'est pas réservée à la seule France, puisqu'on note que Lyon reçut de l'étranger, qui copiait le « goût de Paris », de nombreux ordres concernant des habits brodés : en 1784, la commande du prince russe Potemkine d'un exceptionnel habit en velours brodé, pour dix mille louis, ou encore les nombreux envois que fit Camille Pernon à partir de 1787, d'habits, de robes, et de gilets brodés à la dernière mode, au roi Charles IV d'Espagne, à sa famille et à sa cour (« il ne faut pas s'écarter du goût de Paris tant pour les couleurs, les nuances et le genre des broderies, il faut même observer qu'il y ait plutôt de la légèreté et de la fraîcheur que des sujets massifs et compliqués »... note le correspondant du fabricant à Madrid). Il s'agit là, cependant, de commandes spéciales et extraordinaires ; le plus souvent, au XVIIIe siècle, le décor brodé était préparé « à la forme », ou « à la disposition », sur une pièce d'étoffe, de façon que le tailleur n'ait plus qu'à découper et ajuster aux mesures de son client. Ainsi le costume est-il vendu « en pièce », prêt à être coupé et cousu, par un mercier qui le reçoit directement d'un fabricant (plusieurs collections publiques possèdent de tels documents, non montés, avant que l'art du tailleur ne s'exerce).

Ce surplus d'activités dans le domaine de la broderie à Lyon, qui « coûtait » surtout en fonction des matériaux utilisés plus que par le métier, ne se traduisit pas, tant s'en faut, par une prospérité accrue des ouvriers et ouvrières ; un précieux témoignage, analysé autrefois par A. Joly et conservé aux archives du Rhône, nous rapporte les difficultés d'un certain Joseph Pascal, brodeur et giletier, dont l'atelier travailla à Lyon de 1767 à 1785. Procès, ruptures d'association, faillites se sont succédé dans la vie de ce maître-ouvrier, confronté aux

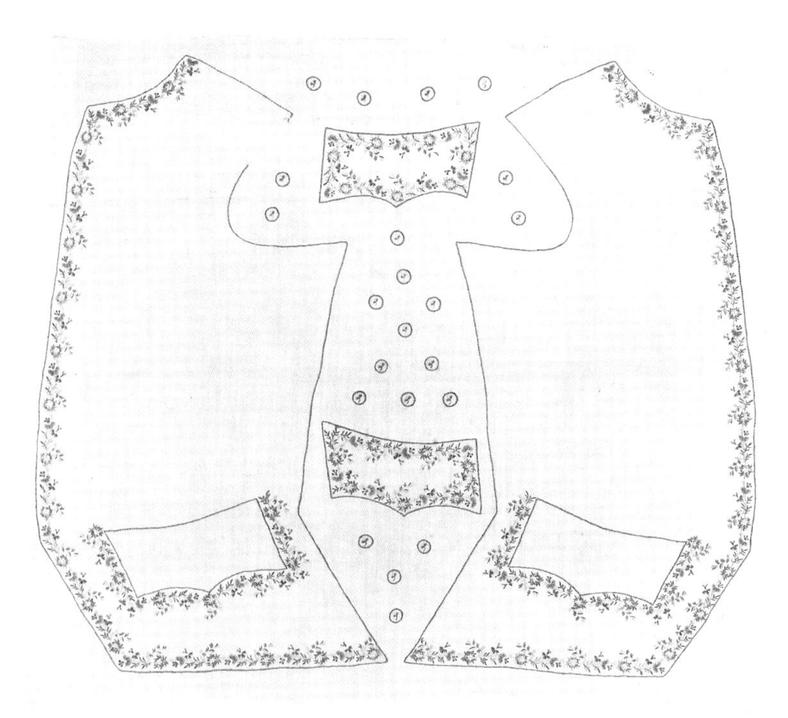

France ; c. 1785 ; gilet d'homme non monté, linon brodé.

puissants marchands-fabricants. Jamais riche, il cherche des ressources en ajoutant à la passementerie un atelier de broderie pour robes et gilets, au bon moment puisque la mode s'en impose peu à peu, à partir de 1760. Il assiste aux efforts du Consulat de Lyon pour protéger les dessinateurs de la concurrence et de la copie, en assimilant les dessins à broder aux dessins d'étoffes, chose faite en 1780.

Ceci explique la présence dans les collections publiques de Lyon de nombreux dessins pour broderie de gilets qui, imaginés sur les lieux mêmes de la production, devaient être proposés aux futurs clients, en France et à l'étranger, ainsi, d'ailleurs, que d'autres essais « en réel », qui consistaient en échantillons de broderie de petit format, réalisés par les brodeurs sur velours, taffetas ou satin, en complément des dessins, pour permettre de mieux choisir (par exemple, un ensemble de trente-sept petits échantillons brodés incorporés dans des enveloppes de protection en papier filigrané, don Vincens-Bouguereau au musée en 1985). Trois cent seize dessins pour broderies de gilet sont ainsi conservés au musée des Tissus, dans treize albums factices, dont un entièrement de la main du peintre Antoine Berjon (1754-1843, quarante-six dessins). Parmi cet ensemble a été effectué le choix de ce fascicule. Ils sont parvenus dans les collections par acquisition, en 1862, 1865 et 1884, auprès de deux importants dessinateurs pour la Fabrique au XIXe siècle, Jules Reybaud (1807-1868), connu pour avoir été l'un des meilleurs metteurs en carte de l'époque, et Claude Bergeret (1814-1891), peintre et bibliothécaire au Palais des Arts, tous deux grands pourvoyeurs, dès l'origine de la constitution des collections du musée, en documents graphiques et en textiles français de grande rareté, la plupart du XVIIIe siècle. Il n'est donc pas étonnant que dans ces cabinets de dessins se trouvassent de nombreux modèles de broderie – l'une des principales activités, forcée, des ateliers de Lyon à la fin du siècle (ainsi peut-on remarquer que l'activité du dessin pour textiles se déplace, petit à petit, au cours du siècle, de Paris à Lyon).

L'un des regrets face à ce précieux fonds est l'anonymat dans lequel sont restés plongés les dessinateurs employés par la Fabrique : mais l'on sait, en même temps, combien s'entouraient de secret les maîtres-fabricants, vivant toujours dans la crainte de se voir plagier, en France ou à l'étranger (c'est d'ailleurs aussi vrai pour des compositions archicélèbres produites par Lyon en matière d'ameublement et qui ont fait sa gloire incomparable). A peine si l'on peut glaner quelques noms au hasard des archives, rarement conservées, Buisson, Ferrier, Faravel, Pervieux en 1779, Renard... qui sont à confronter aux quelque soixante-dix-huit noms répertoriés dans l'*Indicateur alphabétique de Lyon* à la veille de la Révolution – les dessins ne comportant, pour certains seulement, que de courtes annotations indiquant l'exécution souhaitée, très rarement un nom (qui n'est pas forcément celui de l'auteur) – et inspirés peut-être, en partie, des suites gravées de modèles pour broderie de vestes et gilets que l'ornemaniste Ranson donna vers 1780. Même le grand J.F. Bony (1754-v. 1825), le « dessinandier de Givors », merveilleux brodeur et dessinateur auquel on a beaucoup attribué, ne peut montrer que très peu d'œuvres sûres avant le premier Empire, l'artisan s'effaçant devant la création et étant, d'autre part, contraint par de nombreuses obligations envers le fabricant, qui a peur des infidélités – le « dessin étant pour ainsi dire l'âme de la fabrique » et le garant du succès et de la prospérité. La pérennité de ce bien précieux sera d'ailleurs l'une des préoccupations majeures du siècle suivant, la réforme du dessin étant une obsession : dès 1804, un Pierre-Toussaint Dechazelle, homme instruit, peintre, dessinateur et auteur d'études scientifiques, dans son fascicule intitulé *De l'influence de la peinture sur les arts d'industrie commerciale*, parle de l'état de langueur « qui menacerait l'art de la broderie en nuances » à cette époque. « Style pur, dessin correct, coloris éblouissant, inventions toujours renouvelées, telles sont les prérogatives dont ce genre d'industrie doit jouir exclusivement en France », précise-t-il.

C'est bien ce dont témoignent les dessins ici publiés qui, protégés de la lumière, sont parvenus à nous dans un remarquable état de fraîcheur annonciateurs de futurs morceaux de bravoure à l'aiguille, dont la vogue menaça un temps les manufactures distinctives de Lyon, broderies exécutées tour à tour aux points plat, de tige, fendu ou de nœud, herbiers précis à la Rousseau ou fourmillant d'anecdotes (l'ascension de la montgolfière en 1783...). Ils nous semblent bien emblématiques du fragile art de vivre d'une époque où s'illustrait, avec fracas, un comte Almaviva, celui de l'opéra de Mozart, revêtu avec insouciance et superbe de ses habits de bal brodés, bientôt balayé par la bourrasque annoncée dans la *cavatine* pleine de défi de Figaro.

BIBLIOGRAPHIE

C.-Germain de Saint-Aubin, *L'Art du brodeur*, 1770.
Cte de Reiset, *Modes et usages au temps de Marie-Antoinette, Livre-journal de Madame Eloffe, marchande de modes, couturière-lingère ordinaire de la reine et des dames de sa cour*, 2 tomes, Paris, 1885.
H. Algoud, J.F. Bony, décorateur de soieries, *La revue de l'Art ancien et moderne*, janvier-mars 1922.
A. Joly, Papiers d'un brodeur lyonnais au XVIIIe s., *La soierie de Lyon*, 1928.
M. Delpierre, Un album de modèles pour broderies de gilets, *Bulletin du musée Carnavalet*, nov. 1956.
N. Scheuer, *in* cat. exp. *An elegant art, fashion and fantasy in the eighteenth Century*, Los Angeles County Museum of Art, 1983.
J. Custodero, *Antoine Berjon, 1754-1843, peintre lyonnais*, Thèse de doctorat dactylographiée, université de Lyon II, 1985, vol. 3.
C. Gastinel-Coural, *in* cat. exp. *Soieries de Lyon, commandes royales au XVIIIe s., 1730-1800*, Lyon, les dossiers du musée des Tissus, 2, 1988-89.
Cat. exp. *Modes et Révolutions, 1780-1804*, Paris, musée Galliera, 1989.

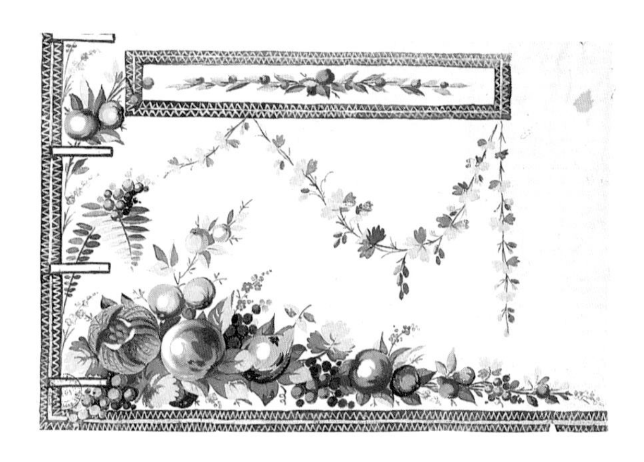

PLANCHES

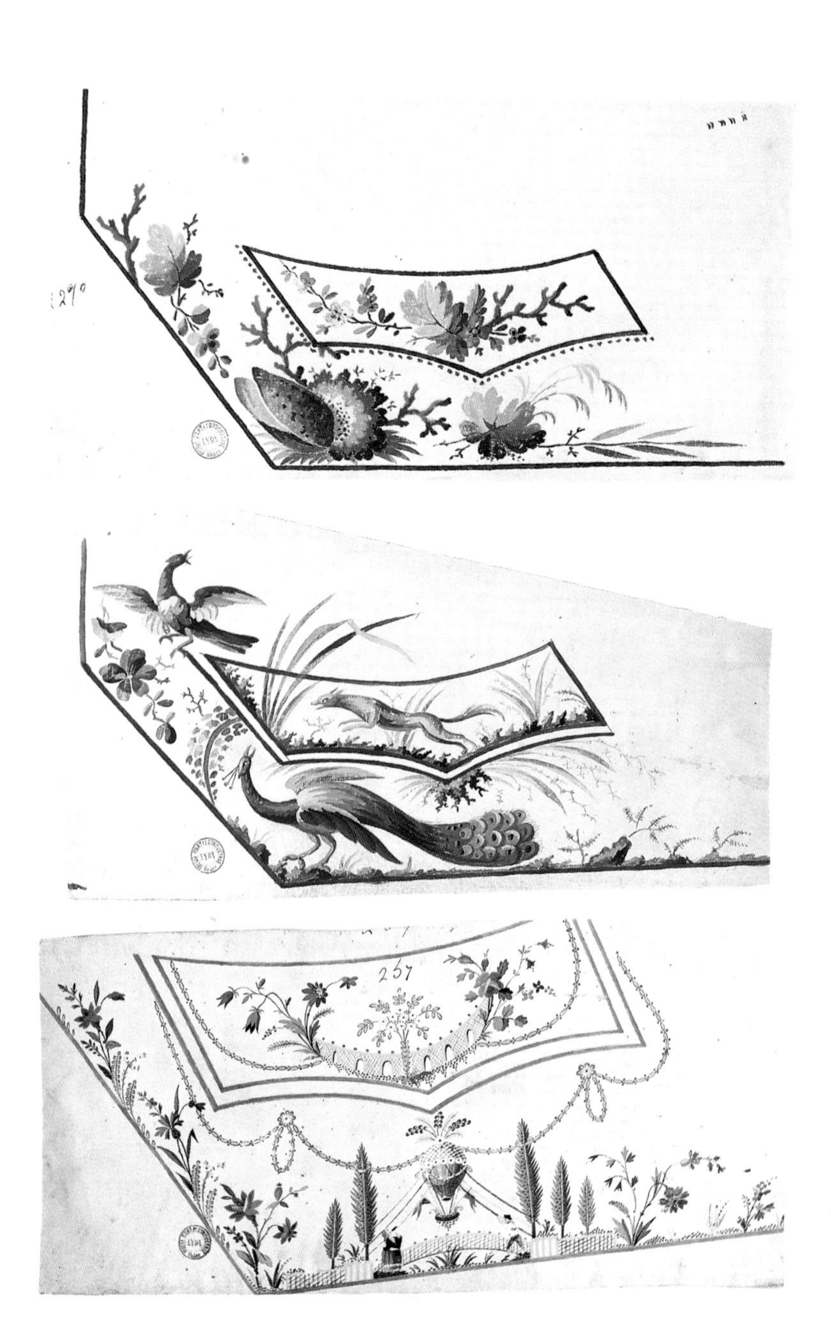
257

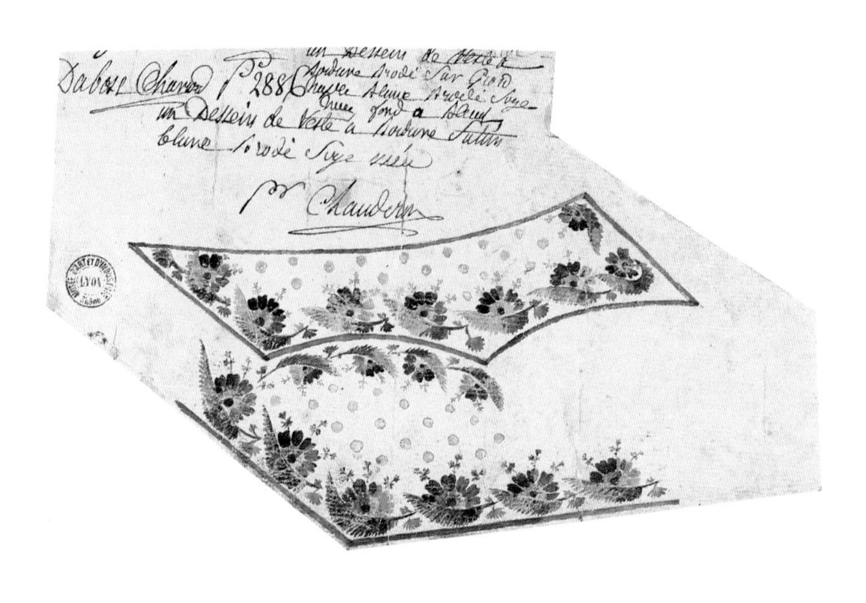
288
un Dessein de Veste a bordure Satin
blanc brodé Soye

en 3 bleus

Olivier

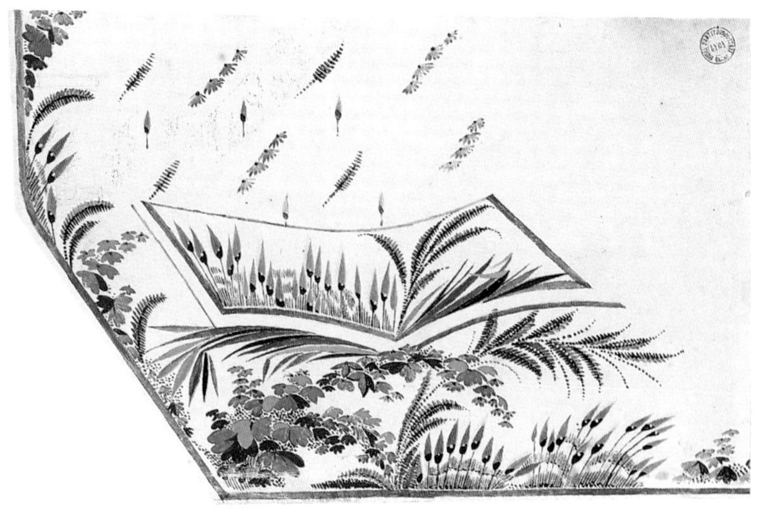

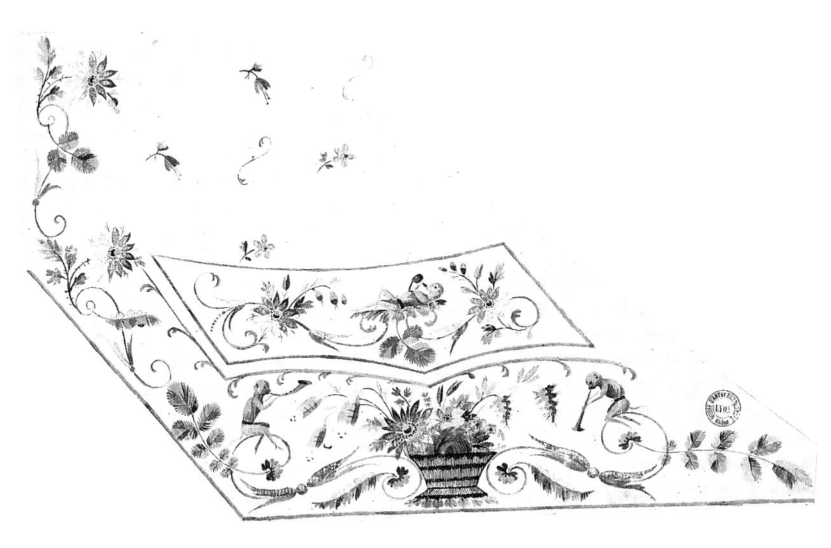

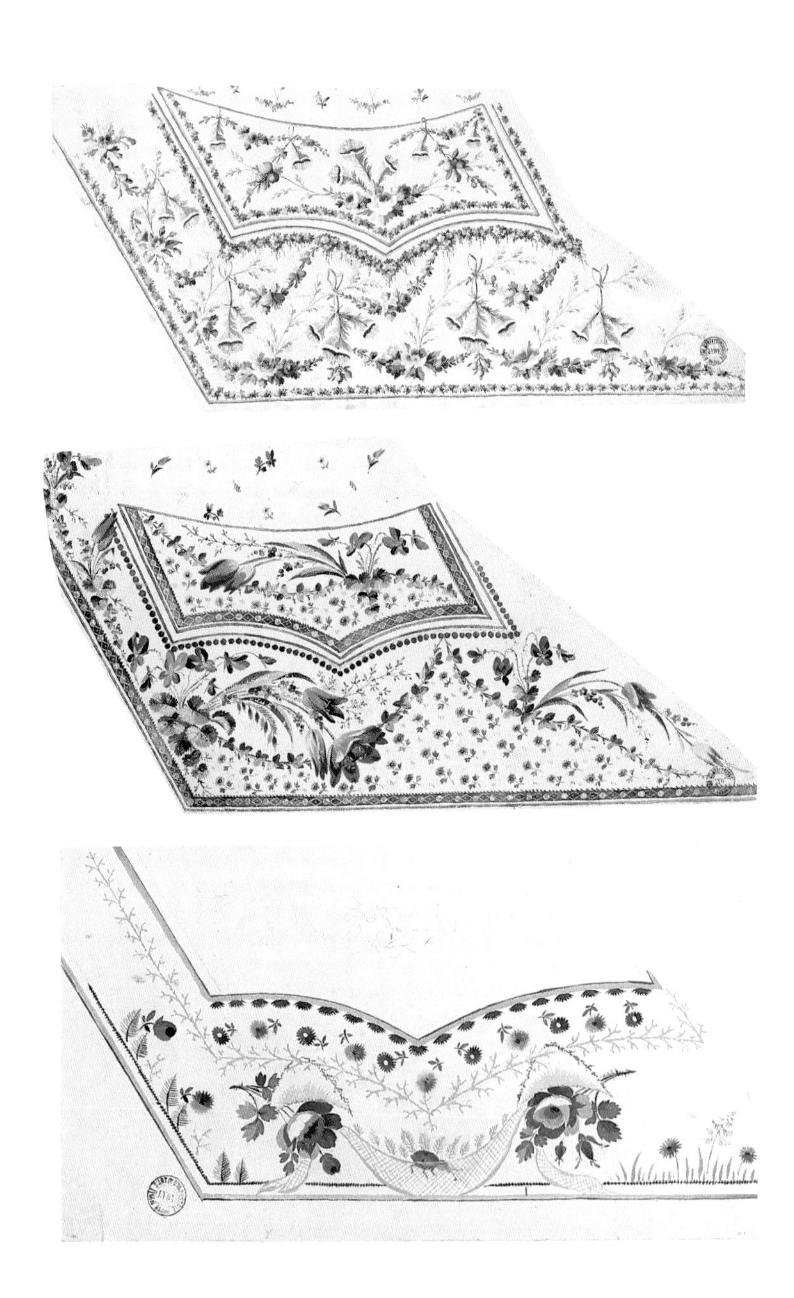

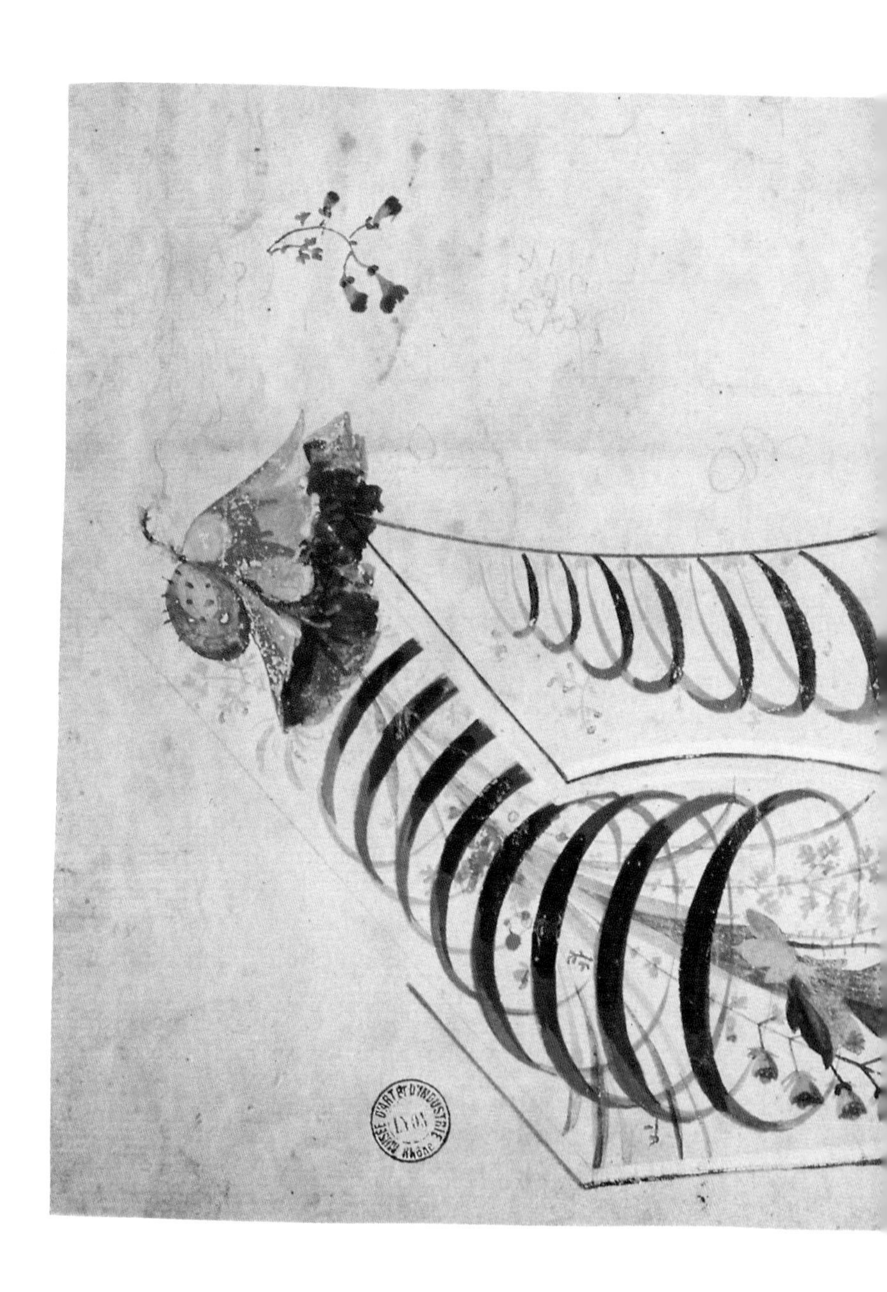
MUSÉE D'ART ET D'INDUSTRIE
LYON
Rhône

122

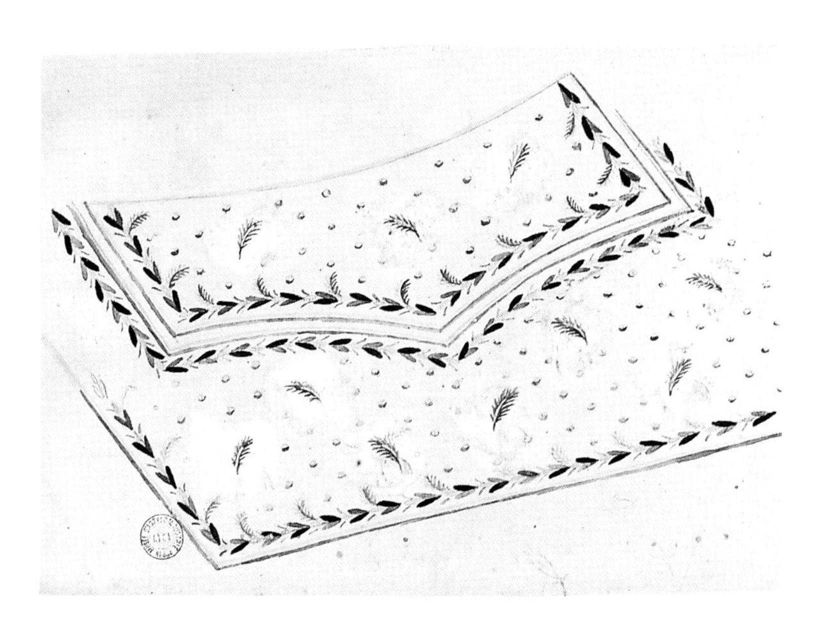

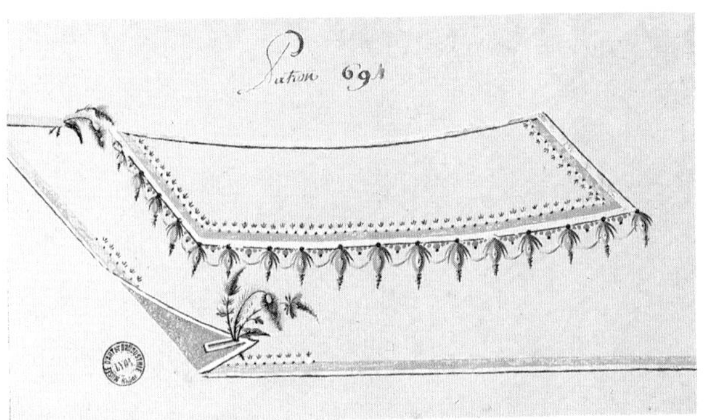
Paton 691

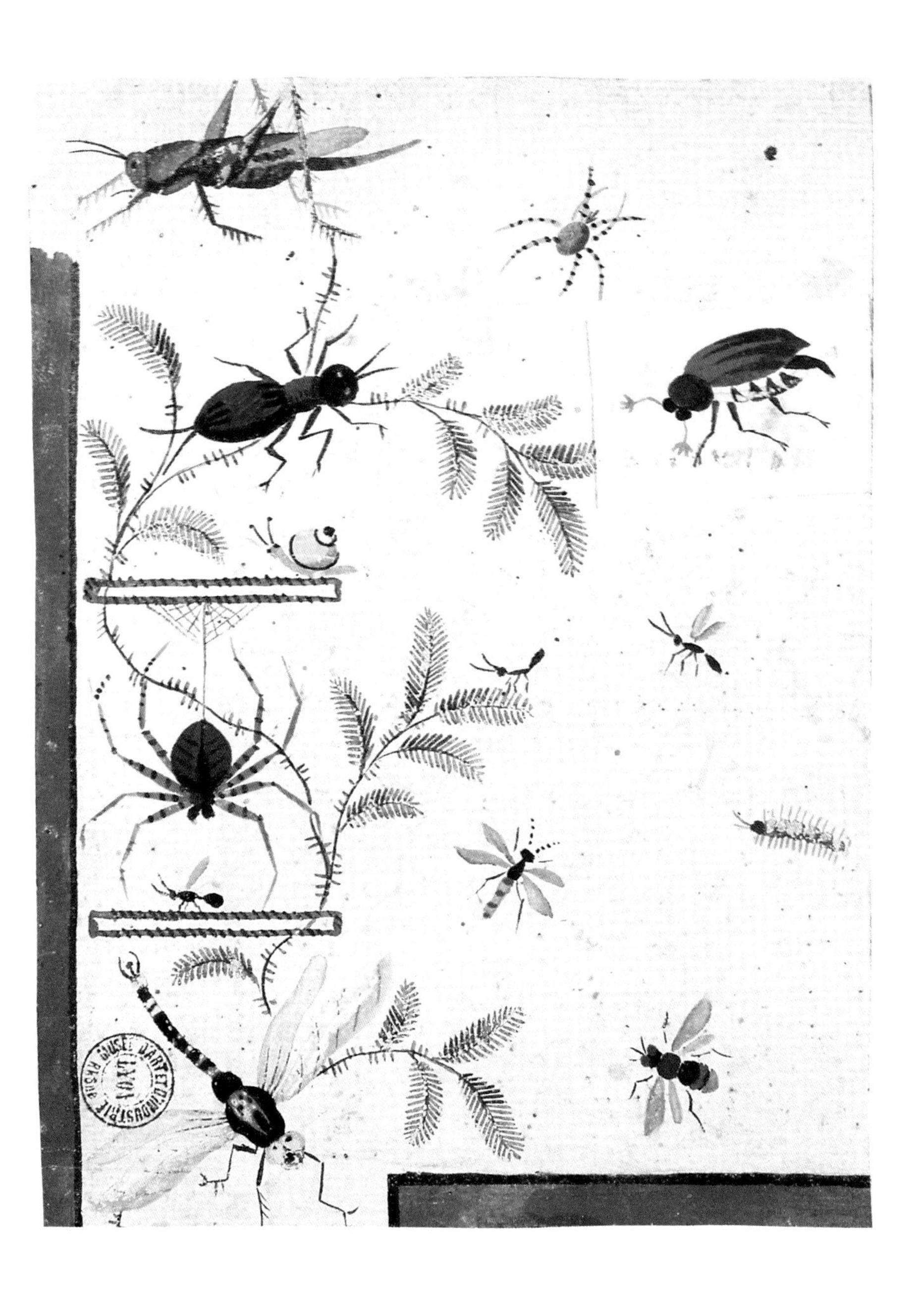

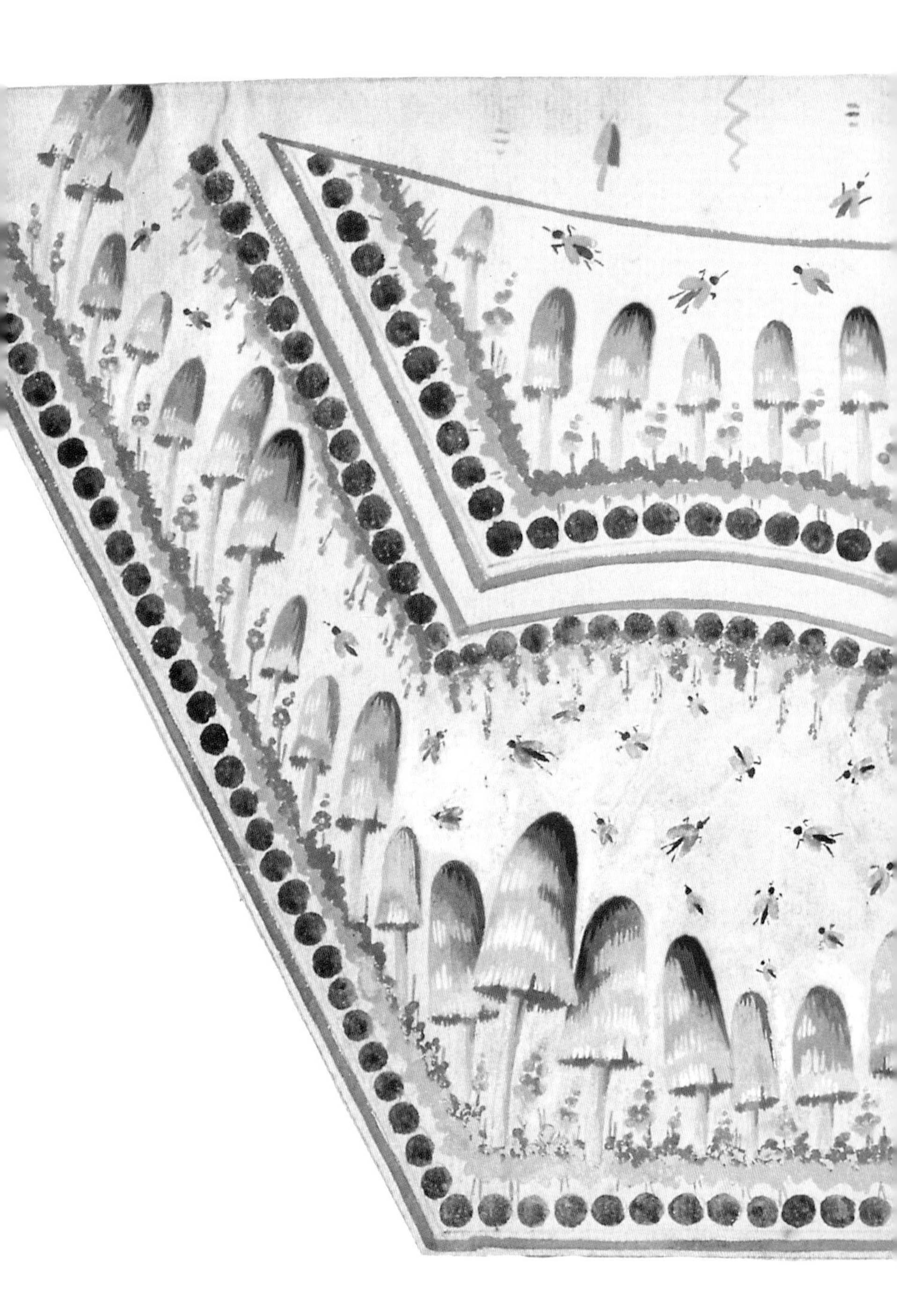

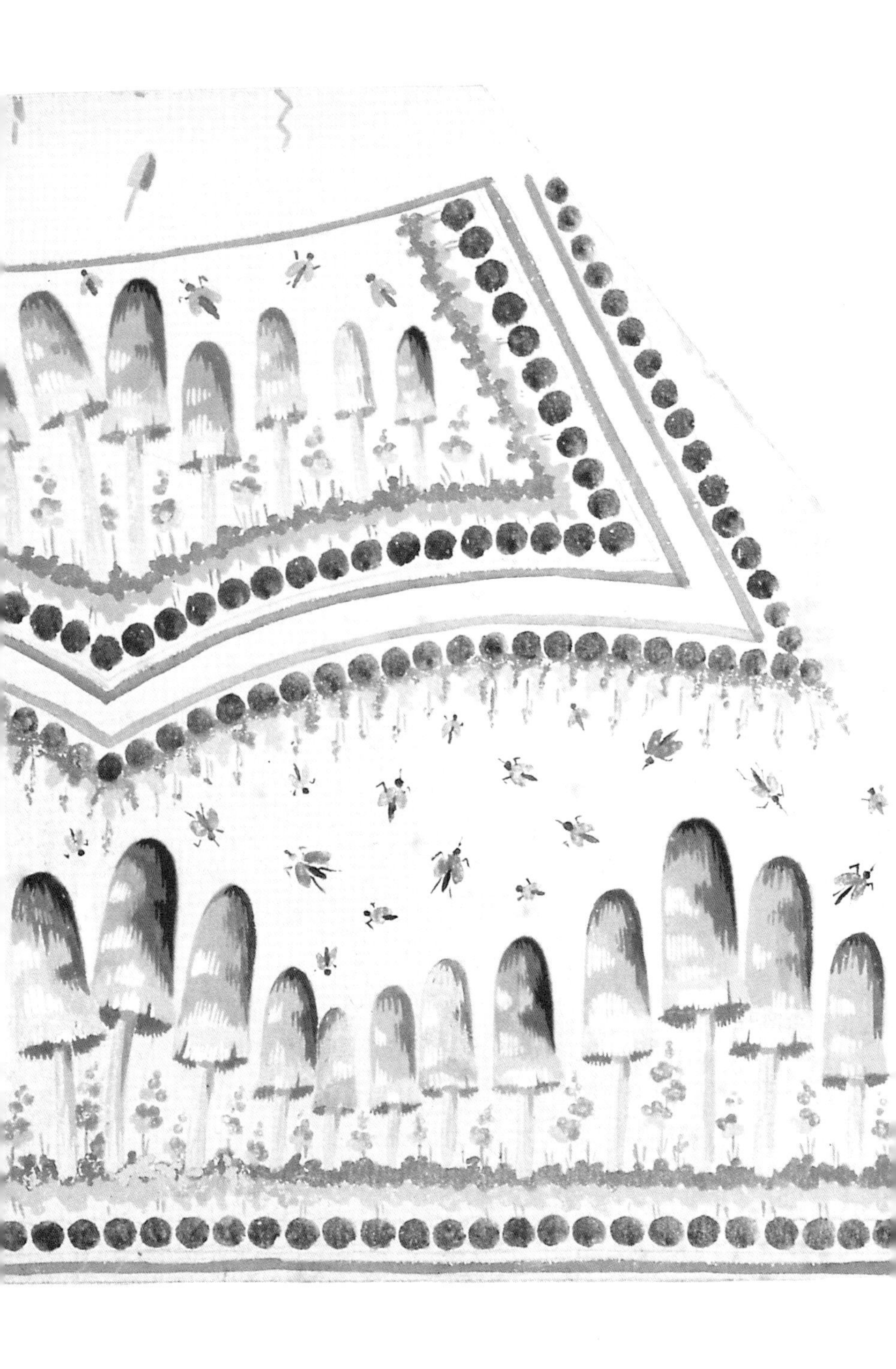

905

LÉGENDES

Note : Les dessins ne portant pas la marque de la collection Reybaud appartiennent à la collection Bergeret et Belmont, entrée au musée en 1884. Claude Bergeret (1814-1891) fut dessinateur pour la Fabrique et peintre de fleurs. Il eut le poste de bibliothécaire au Palais des Arts.

Couverture et gardes : projet de broderie pour gilet d'homme, coupé droit, à décor d'homme terrassant un dragon (gilet carré en bas, partie inférieure gauche d'un devant de gilet avec représentation de la poche). Lyon, fin du XVIIIe siècle. Encre brune, gouache sur papier. *Dim. 24,5 × 19,5 cm.* Cachet du musée d'Art et d'Industrie de Lyon. Album A 503/4, f° 29.

Page de titre : marque de la collection Jules Reybaud à Lyon (comprenant des dessins, mises en carte, textiles, acquise par le musée en 1862). Jules Reybaud était dessinateur pour la Fabrique de Lyon et l'un des meilleurs metteurs en carte de l'époque. Il dessina, grava et publia une série de recueils décoratifs autour de 1840 (né en 1807, mort vers 1868).

page 5 : projet de broderie pour gilet d'homme, à basque, à décor de berceaux de feuillage. Lyon, Fabrique de C. Pernon, fin du XVIIIe siècle. Inscription *Pernon.* Pierre noire, gouache sur papier. *Dim. 32 × 18,2 cm.* Cachet du musée d'Art et d'Industrie. Album A 503/6. *Cf.* p. 9.

page 9 : France, vers 1785. Gilet d'homme à basques, gros de Tours, soie, brodé de soies polychromes (points plat, passé empiétant, de tige, de nœud, croisé) à décor de berceaux de feuillage, de fleurs et d'oiseaux. Acq. 1913. *Inv. 29841.*

page 11 : France, vers 1785. Gilet d'homme « en pièce » (non monté, pour être coupé et cousu), décor « à la forme » ou « à la disposition » (on distingue les revers de poche et les boutons). Linon brodé (point de chaînette ou de Beauvais). Acq. 1907. *Inv. 28410.*

page 14 : projets de broderie pour gilets d'homme, coupés droit :
– en haut, à décor floral. Lyon, fin du XVIIIe siècle. Gouache sur papier.
Dim. 26 × 17,2 cm. Cachet du musée d'Art et d'Industrie.
Album A 334/2, f° 22.

page 15 : projet de broderie pour gilet d'homme, coupé droit, à décor de colonnes et de plantes. Lyon, fin du XVIIIe siècle. Encre brune, gouache sur papier. *Dim. 13,8 × 16,5 cm.* Cachet du musée d'Art et d'Industrie.
Album A 503/4, f° 29.

page 16 : projets de broderie pour gilets d'homme, à basques :
– en haut à décor de coquillage et de branches de corail. Lyon, fin du XVIIIe siècle. Encre brune, gouache sur papier. *Dim. 32,5 × 16 cm.* Cachet du musée d'Art et d'Industrie. Album A 334/2, f° 17.

– au centre, à décor d'animaux. Lyon, fin du XVIIIe siècle. Encre brune, gouache sur papier. *Dim. 33,5 × 18 cm.* Cachet du musée d'Art et d'Industrie.
Album A 334/2, f° 15.
– en bas, à décor de montgolfière. Lyon, fin du XVIIIe siècle. Gouache sur papier. *Dim. 36,5 × 17,5 cm.* Cachet du musée d'Art et d'Industrie.
Album A 503/5, f° 8.

page 17 : projets de broderie pour gilets d'homme, à basques :
– en haut, à décor d'attributs militaires et de plantes. Lyon, fin du XVIIIe siècle. Encre brune, gouache sur papier. *Dim. 30,5 × 14,5 cm.* Cachet du musée d'Art et d'Industrie. Album A 334/2, f° 20.
– au centre, à décor d'oiseau, de coffret à bijoux et de plantes. Lyon, fin du XVIIIe siècle. Encre brune, gouache sur papier. *Dim. 34 × 17,5 cm.* Cachet du musée d'Art et d'Industrie. Album A 334/2, f° 15.
– en bas, à décor de vase antique, de griffon, caducée de Mercure et lyre. Lyon, fin du XVIIIe siècle. Encre noire, gouache sur papier. *Dim. 27,5 × 13,2 cm.* Cachet du musée d'Art et d'Industrie. Album A 334/2, f° 19.

page 18 : projets de broderie pour gilets d'homme, à basques :
– en haut, à décor floral. Lyon, fin du XVIIIe siècle. Encre noire, aquarelle sur papier. *Dim. 25,5 × 15 cm.* Cachet du musée d'Art et d'Industrie. Inscription à la plume : *un dessein de veste bordure brodé sur gros Naples blanc brodé soye nuée fond à bleuets. Dubost Chavard. P^on 2886 Pr. Chaudon.*
Album A 334/2, f° 3.
– en bas, à décor floral. Lyon, fin du XVIIIe siècle. Encre brune, pierre noire, rehaussé d'aquarelle sur papier. *Dim. 32,5 × 19 cm.* Cachet du musée d'Art et d'Industrie. Album A 503/6, f° 17.

page 19 : projets de broderie pour gilets d'homme, à basques :
– en haut, à décor de capeline féminine. Lyon, début du XIXe siècle. Encre brune, aquarelle, rehauts de gouache sur papier. *Dim. 36 × 22,5 cm.* Cachet du musée d'Art et d'Industrie. Album A 503/6, f° 24.
– en bas, à décor de chinoiseries, et de plantes. Lyon, fin du XVIIIe siècle. Pierre noire, aquarelle, gouache sur papier. *Dim. 36,5 × 24,7 cm.* Cachet du musée d'Art et d'Industrie. Inscription : *en 3 bleus.* Album A 503/5, f° 7.

page 20 : projets de broderie pour gilets d'homme, à basques :
– en haut, à décor de *fleurs et pavillons*. Lyon, fin du XVIIIe siècle. Encre noire, gouache sur papier. *Dim. 40 × 27 cm.* Cachet du musée d'Art et d'Industrie. Inscription : *P^on 1732, une veste gros de Naples blanc, dessein brodé soye à fleurs et pavillons, Olivier.* Album A 334/2, f° 44.
– en bas, à décor de plantes. Lyon, fin du XVIIIe siècle. Encre noire, gouache sur papier. *Dim. 33,5 × 21,2 cm.* Cachet du musée d'Art et d'Industrie.
Album A 334/2, f° 39.

page 21 : projets de broderie pour gilets d'homme, à basques :
– en haut, à décor floral. Lyon, fin du XVIIIe siècle. Encre brune, gouache sur

papier. *Dim. 23 × 34 cm.* Marque de la collection J. Reybaud. Cachet du musée d'Art et d'Industrie. Inscription : *en rose.* Album A 334/1, f° 4.
– en bas, à décor de fleurs et de singes jouant des instruments de musique. Lyon, fin du XVIIIe siècle. Encre brune, aquarelle sur papier.
Dim. 37 × 21,2 cm. Cachet du musée d'Art et d'Industrie.
Inscription : Album A 334/2, f° 42.

page 22 : projets de broderie pour gilets d'homme, à basques :
– en haut, à décor floral et plumes. Lyon, fin du XVIIIe siècle. Pierre noire, gouache sur papier. *Dim. 43 × 18,5 cm.* Cachet du musée d'Art et d'Industrie. Album A 334/2, f° 46.
– au centre, à décor floral. Lyon, fin du XVIIIe siècle. Encre brune et gouache sur papier. *Dim. 41 × 20 cm.* Cachet du musée d'Art et d'Industrie.
Album A 334/2, f° 33.
– en bas, à décor floral, filet et insecte. Lyon, fin du XVIIIe siècle. Pierre noire, gouache sur papier. *Dim. 28,5 × 15,5 cm.* Cachet du musée d'Art et d'Industrie. Album A 503/7, f° 28.

page 23 : projets de broderie pour gilets d'homme, à basques :
– en haut, à décor floral. Lyon, fin du XVIIIe siècle. Encre brune, gouache sur papier. *Dim. 40,5 × 17,5 cm.* Cachet du musée d'Art et d'Industrie.
Album A 334/2, f° 35.
– au centre, à décor floral. Lyon, fin du XVIIIe siècle. Encre brune, gouache sur papier. *Dim. 43 × 20 cm.* Cachet du musée d'Art et d'Industrie.
Album A 334/2, f° 48.
– en bas à décor floral. Lyon, fin du XVIIIe siècle. Encre brune, gouache sur papier. *Dim. 40 × 18,5 cm.* Cachet du musée d'Art et d'Industrie.
Album A 334/2, f° 49.

page 24-25 : projet de broderie pour gilets d'homme, à basques. A décor floral. Lyon, fin du XVIIIe siècle. Pierre noire, aquarelle, rehauts de gouache sur papier. *Dim. 34,5 × 22 cm.* Cachet du musée d'Art et d'Industrie.
Album A 503/6, f° 18.

page 26 : projets de broderie pour gilets d'homme :
– en haut, à basque, décor floral. Lyon, fin du XVIIIe siècle. Gouache sur papier. *Dim. 33,6 × 22,5 cm.* Marque de la collection Reybaud. Cachet du musée d'Art et d'Industrie. Album A 334/1, f° 2.
– en bas, coupé droit, décor floral. Lyon, fin du XVIIIe siècle. Pierre noire, gouache sur papier. *Dim. 23 × 21 cm.* Marque de la collection Reybaud. Cachet du musée d'Art et d'Industrie. Album A 334/1, f° 12.

page 27 : projets de broderie pour gilets d'homme, coupés droit :
– en haut, à décor de bateaux, fabriques et papillons (détail). Lyon, fin du XVIIIe siècle. Gouache sur papier. *Dim. 24,7 × 15 cm.* Cachet du musée d'Art et d'Industrie. Album A 503/4, f° 25.

– en bas, à décor de bateau. Lyon, fin du XVIIIe siècle. Gouache sur papier. *Dim. 23,5 × 21 cm.* Cachet du musée d'Art et d'Industrie.
Album A 503/4, f° 31.

page 28-29 : projet de broderie pour gilet d'homme, coupé droit. A décor de singes et de fleurs. Lyon, fin du XVIIIe siècle. Gouache sur papier vernis. *Dim. 21,7 × 17 cm.* Cachet du musée d'Art et d'Industrie. Inscription : *... et le macaque.* Album A 334/1, f° 35.
Cas rare, on connaît, dans les collections du Victoria and Albert Museum à Londres, un gilet réalisé en soie brodée, daté 1786, correspondant à ce dessin (a appartenu au père du chancelier Metternich. *Inv. T 49-1948*).

page 30 : projets de broderie pour gilets d'homme, coupés droit :
– en haut, à décor de muguets. Lyon, fin XVIIIe siècle. Gouache sur papier vernis. *Dim. 15,4 × 19,4 cm.* Cachet du musée d'Art et d'Industrie.
Album A 503/9, f° 8.
– en bas, à décor de bergère. Lyon, fin XVIIIe siècle. Gouache sur papier vernis. *Dim. 26,3 × 19,1 cm.* Cachet du musée d'Art et d'Industrie.
Album A 503/4, f° 24.

page 31 : projet de broderie pour gilet d'homme, coupé droit. A décor de panier fleuri et rubans. Lyon, fin du XVIIIe siècle. Pierre noire, gouache sur papier. *Dim. 22,5 × 39,7 cm.* Marque de la collection Reybaud. Cachet du musée d'Art et d'Industrie. Album A 334/1, f° 11.

page 32 : projets de broderie pour gilets d'homme :
– en haut, à basque, décor floral. Lyon, fin du XVIIIe siècle. Pierre noire, aquarelle, rehauts de gouache sur papier. *Dim. 38,5 × 28,4 cm.* Cachet du musée d'Art et d'Industrie. Album A 503/6.
– en bas coupé droit, scène villageoise. Lyon, fin du XVIIIe siècle. Pierre noire, gouache sur papier. *Dim. 25 × 17,5 cm.* Cachet du musée d'Art et d'Industrie. Album A 503/4, f° 31.

page 33 : projets de broderie pour gilets d'homme :
– en haut, à basques, décor de plumes. Lyon, fin du XVIIIe siècle. Pierre noire, gouache sur papier. *Dim. 33 × 19,2 cm.* Cachet du musée d'Art et d'Industrie. Album A 503/7, f° 32.
– en bas, coupé droit, décor à la balançoire. Lyon, fin du XVIIIe siècle. Pierre noire, gouache sur papier. *Dim. 24,6 × 17,4 cm.* Cachet du musée d'Art et d'Industrie. Album A 503/4, f° 30.

page 34 : projets de broderie pour gilets d'homme, à basques :
– en haut, à décor de lion dans une grotte. Lyon, fin du XVIIIe siècle. Gouache sur papier. *Dim. 32,4 × 13,4 cm.* Cachet du musée d'Art et d'Industrie.
Album A 503/6, f° 26.
– au centre, à décor floral. Lyon, fin du XVIIIe siècle. Gouache sur papier. *Dim. 26,2 × 14,9 cm.* Cachet du musée d'Art et d'Industrie.
Album A 503/6, f° 5.

– en bas, à décor floral et géométrique. Lyon, fin du XVIIIe siècle. Aquarelle, rehauts de gouache sur papier. *Dim. 31,7 × 15,5 cm.* Cachet du musée d'Art et d'Industrie. Album A 334/2, f° 6.

page 35 : projets de broderie pour gilets d'homme, à basques :
– en haut, à décor d'animaux sauvages. Lyon, fin du XVIIIe siècle. Encre brune, gouache sur papier. *Dim. 31,3 × 14,5 cm.* Cachet du musée d'Art et d'Industrie. Album A 503/6, f° 26.
– au milieu, à décor de fleurs et fabriques. Lyon, fin du XVIIIe siècle. Pierre noire, gouache sur papier. *Dim. 35 × 24 cm.* Cachet du musée d'Art et d'Industrie. Album A 334/2, f° 8.
– en bas, à décor floral. Lyon, fin du XVIIIe siècle. Pierre noire, lavis gris et brun, rehauts de gouache sur papier. *Dim. 45 × 20,5 cm.* Cachet du musée d'Art et d'Industrie. Album A 334/2, f° 60.

page 36 : projets de broderie pour gilets d'homme, coupés droit :
– en haut, à décor de vasque et de fleurs. Lyon, début du XIXe siècle. Pierre noire, aquarelle, rehauts de gouache sur papier. *Dim. 22,5 × 15 cm.*
Album A 334/1, f° 15.
– en bas, à décor de canards, de lyres et de papillons. Lyon, début du XIXe siècle. Pierre noire, aquarelle, rehauts de gouache sur papier.
Dim. 22,6 × 14,3 cm. Cachet du musée d'Art et d'Industrie.
Album A 334/1, f° 15.

page 37 : projet de broderie pour gilet d'homme. Décor d'insectes. Lyon, fin du XVIIIe siècle. Gouache sur papier. *Dim. 14,2 × 19,2 cm.* Cachet du musée d'Art et d'Industrie. Album A 503/4, f° 17.

page 38 : projet de broderie pour gilet d'homme. Décor d'oiseaux des Indes. Lyon, début du XIXe siècle. Pierre noire, gouache sur papier.
Dim. 24 × 34,2 cm. Cachet du musée d'Art et d'Industrie. Inscription : *Oiseaux des Indes... mousse... brodure de plumes.* Album A 334/1, f° 17.

page 39 : projet de broderie pour gilet d'homme, revers et boutonnières avec décor floral passant au travers. Lyon, fin du XVIIIe siècle. Lavis brun, gouache sur papier. *Dim. 10,2 × 14,7 cm.* Cachet de la Bibliothèque du musée.
Album A 334/2, f° 64.

page 40-41 : projet de broderie pour gilet d'homme, à basques. Décor de champignons et d'insectes. Lyon, fin du XVIIIe siècle. Gouache sur papier. *Dim. 39 × 18 cm.* Album A 503/4, f° 31.

page 42 : projet de broderie pour gilet d'homme, coupé droit. A décor floral et scène villageoise. Lyon, fin du XVIIIe siècle. Gouache sur papier teinté. *Dim. 24,5 × 30 cm.* Cachet du musée d'Art et d'Industrie.
Album A 503/4, f° 16.

page 43 : projet de broderie pour gilet d'homme, coupé droit. Décor de ruines avec colonne Trajane. Lyon, fin du XVIIIe siècle. Encre brune, lavis brun, rehauts d'aquarelle sur papier. *Dim. 11,3 × 15 cm.* Cachet du musée d'Art et d'Industrie. Album A 503/3, f° 5.

D'ART ET D'INDUSTRIE